심해수족관

심해수족관

발 행 | 2024년 07월 04일
저 자 | 김아윤
펴낸이 | 한건희
펴낸곳 | 주식회사 부크크
출판사등록 | 2014.07.15(제2014-16호)
주 소 | 서울특별시 금천구 가산디지털1로 119 SK트윈타워 A동 305호
전 화 | 1670-8316
이메일 | info@bookk.co.kr

ISBN | 979-11-410-9296-2

www.bookk.co.kr

심해수족관

김아윤 지음

목차

인간은 좋아하는 걸로만 채워 넣는 경향이 있어요.

여러분들도 좋아하는 걸로만 목차를 채워 넣어보아요.

심해 수족관

인간은 태어났을 때부터 추악하다.

추악함은 아무것도 없는 심해같다.

더없이 덧없이 빠져들어 내 추악함과 마주 보면
진정한 나를 바라볼 수 있게 된다.

한없이 어둡고 외로운 곳, 그것이 바로 추악이다

경면의 저편

새까만 물결이 검은 혀를 들어내며 말을 걸어오는 것이었다. 찰방거리며 느껴지는 거친 파도 소리에 뭐라도 홀린 듯, 한 걸음 두 걸음 다가가 버렸다. 어둠이 하늘을 전부 집어삼킬 때, 바다를 가지 말라는 말을 이제야 알게 되었다. 소용없는 짓이겠지, 비로소 나는 원망이 가득한 새까만 혀와 입을 맞추었다.

연극이 끝난 후

나의 마음은 항상 비어버린 공간

매워지길 바라는 건 나약한 생각

비워지길 바라는 건 한심한 생각

영원한 세월

이유 하나 없이 그럴싸한 염원

전부

종이가 울어, 마음이 안 좋아서 울어.

울지마 바보야, 네가 내 세상에 전부야.

본질

한숨을 집어 삼킨다.
나의 생각도 집어 삼킨다.

혀뿌리에 묻어놓은 수많은 말들은 변명삼아 늘어놓았다.

체념은 결국 자학일 뿐, 그것이 나의 본질입니다.

이치

꿀벌은 꽃을 찾아 날아다니고, 인간은 숨을 쉬지 않으면 서서히 죽어간다.

하지만 나는 온실 속 화초였으니 이도 저도 못하고 떨어져 썩어갈 뿐이다.

차오르는 마음

부르고 싶을 때 부르는 게 뭐가 그렇게 어렵다고.

너 한 번 찾는 게 나한테는 이렇게나 벅차다.

나만

힘든 거 아닌데

검은 하늘에 내 행복을 빌어볼게

검은 하늘에 회백색 잿빛 구름
그 사이 밝은 달에, 나는 빛나는 무언가를 쫒아
내 행복을 빌어볼게

익숙함

주위에 있는 익숙한 것들에게 속아버려

자기 자신까지 아프게 만들어버리는

가장

무서운 도구

죽어서도

기억조차 못 할 만큼 아리따운 순간에 나는 죽어 시체가 되어버렸다. 나의 발은 뜯겨 그들의 입으로 들어갔고. 나의 손은 자연으로 돌아갔다. 하지만 지워내고 지워냈던 나의 마음은 어째서 너에게로 돌아가는 것 일까. 사랑한다 외치고 싶어.

미학

내가 죽어 그대에게 아름답다면, 기꺼이 나 스스로 태워 재가 되어 날아갑니다.

공허

비워내고 지워내고 갈망하고

내 마음이 한없이 외로워하면, 나의 마음에는 작은 구멍이 여럿 생겨버린다.

텅 비어버린 나의 마음의 구멍

이것을 마음을 잃어버렸다고 했던 것 같다.
한 번 안아주면

채워내고 담아내고 흘러넘쳐버린다.

여름

한여름, 비가 오기 전에 부는 바람은 생각보다 무겁고 시원하다. 나의 몸을 전부 날려버릴 것 같이 다가와도 전부 안아줄 수 있을 것 같다. 내가 안으려 했던 모든 이들에겐 상처만 남았지만, 그 또한 이해해 주는 것이 여름이다. 나는 여름을 다 받아낼 수 있다

이해

너랑 나랑 달라. 서로 다 달라서 같이 사는 법을 배우는거야.

현실도피

밀어지는 것에 대한 두려움.

사람이 두렵다.

난 역시 포근하고 아늑한 침대가 좋은 것 같다.

새벽에 피는 담배

손끝에 잡힌 담배 한 개비

불꽃이 피어오를 때, 뿜어져 나오는 연기는 희미한 안개처럼 퍼져나가

맑은 공기에 섞여 들어간다. 맑은 공기와 탁한 연기, 그 사이에

나의 마음도 순간의 평온과 불안 속에서 이리저리 흔들린다.

환상통

지워내고 지워내도 지워지지

않는 어두운 나의 마음의 상처가

아파지고 아파져도 아파져오는

병든 나의 마음의 상처가

더 다칠 곳도 없다고 소리쳐 내 정신을 위태롭게 만들어

외사랑

그대의 향기에 한 번

그대의 목소리에 두 번

가까이 있어도 다가설 수 없는 오롯이 나만의 외사랑

울렁거림

나의 모든 걸 털어놓으면, 감춰왔던 감정들이 봇물 터지듯 흘러넘쳐

토해버릴 것 같아.

후회

봐, 내가 후회할 거라고 했지?

사실 후회했으면 해.

꼭 후회해.

죽을 만큼 아프게 후회해

존재의 가치

상자 안에 있는 작은 고양이

죽은 듯 조용히 지내는 것은 겁나한 것

자기가 여기 있다고 소리 내 알리는 건 노력하는 것

나는 소리치며 나의 존재를 증명할 거야.

그대

그대가 원하는 게 그것이라면, 저는 어쩔 수 없이 받아들여야지요. 혹여 그대가 바라는 것이 저의 죽음이라고 해도, 그대를 위해 기꺼이 받아들여야지요. 하지만 그대가 죽는 것이라면 저는 받아들일 수 없을 것 같아요. 그대는 저에게 가장 소중한 존재이기에

좋아해

네가 날 싫어해도 괜찮아.

네가 날 무시해도 괜찮아.

나 혼자 아프고 힘들어해서 울어도 나는 괜찮아.

부담되면 그냥 멀리서 지켜보기라도 할게

너를 바라보다가 언젠간 떠나갈게

내가 너를 좋아할 수 있게 해줘

무서움

내가 상처받을까 무섭다.

위선

넌 항상 나에게 거짓말을 할 때면

나에게 샐쭉한 웃음을 보여주곤 해.

나의 천사여

어서 나를 도와주러 오세요.

시발 안 오면 지옥에 떨어트려 버린다.

다육식물

규칙적으로 올바르게 키워왔지만 계속 시들어간다.

관심을 안 줘서 그런가?

관심을 쏟아부어도 시들어가는 식물에 나는 생각했다.

까탈스럽긴

신이시여

왜 항상 저에게만 힘든 일을 주시나요.

저만 힘든 거 아니라고요?

망고

네가 뭔데

나를 이렇게 힘들게 만들어

같잖은 망고 주제

속삭임

내면의 그대도

그대가

하염없이 역겹다 속삭이네요.

인형

너 때문에 망가진 내 초라한 모습이 싫어

더 이상 내게 아픔을 남기지마

낭비

주변을 있는 그대로 사랑할 수 있다면

감정 낭비를 하게 되는 것일까?

꽃 없는 나비

나비는 꽃이 있기에 존재한다.

그들은 열심히 꽃을 먹어 생명을 이어가지만

그렇지 못한 이들은 쓸모없는 존재가 되어버린다, 저는 꽃 없는 나비

쓸모없어 그 누구도 바라봐주지 않는 나비.

저는 꽃 없는 나비입니다.

쓰레기 버리듯

내가 필요하다 할 땐 언제고

어떻게 바로 버릴 수 있는가.

일찍 일어나는 방법

노력해봤어?

조현병

나의 귀에 소음이 생기면 불안해.

불안해서 불편해 내가 또 흔들릴까봐.

나를 방해 하지마

유언은 저주이기에

유언을 빙자해 너에게 저주를 내려본다.

너의 이름을 도화지에 가득 적어본다.

내가 죽어도 엄청 찝찝했으면 좋겠어서, 유언에 너 이름만 적어본다,

이행시 1

애 매한

무 언가

물안개의 희화화

비 오는 날 다 같이 빗물을 맞으며 춤을 춰 보아요. 저의 앞머리는 축축하게 젖어 이마에 달라붙었고, 팔랑거리던 하얀 실크 원피스도 습기를 머금고 투명해져 살결이 비춰 보이네요. 춤을 추면 저절로 물방울이 튀어 물안개가 피어 오릅니다. 제가 우스꽝스럽나요?

끝맺음

너의 처음은 함께 해주지 못했어도

마지막은 곁에서 끝까지 지켜주고 싶었는데.

자유 해양 동아리

나의 자의로 들어간 동아리

항상 붉은 열대어가 손목에서 헤엄쳐 다닌다.

흘러가는 열대어를 바라보면, 내가 열대어와 같이 생명력 있게 살아가는 것 같다.

의미 있고 아름답게, 나는 자유 해양 동아리가 좋다.

황무지

너가 없다는 사실에 나는 망가져가

이행시 2

꺼 억

져 어

빛 죽은 반달

나는 그대가 없기에 빛 죽은 반달입니다.

안식처

네가 있기에 나는 숨 쉬어

존재의 이유

내 삶의 존재의 이유가 되어줘

519

사랑에 목매달리면 안되는데, 네가 점점 좋아져 미칠 것 같아

연결

매 순간 너의 곁을 지켜줄거야

내가 닿을 수 없는 곳이더라도

내 마음이 닫는 곳까지

소원

내가 죽으면 그 어떤 누가 나를 바라봐 주며 진심 어린 눈물을 흘릴까요?

그 아픈 마음의 눈물을 그대가 흘리지 않길 간절하게 바라봅니다.

전설

깊은 바다에서 전해 내려오는 전설이 있어

칠색 문어와 사랑에 빠져 입을 맞추면 영생을 얻게 된다고

바다에 빠져 익사해버릴 만큼 잔인하고 낭만 있는 마법 같은 이야기

한 철만

떠나가 사라져 버릴 줄 알았다면 정 따위 주지 않았을 텐데

잊혀짐

그 누구보다 너를 사랑했던 나였는데

네가 아닌 다른 이를 좋아하게 되었네

이제는 네가 아니어도 될 것 같아

소원

만약 제가 사라진다면 하루만 울어 줄래요?

황혼

황혼을 먹고 싶었다.

포만감에 목이 막혀 죽을 만큼.

어항

나는 그대에게 위로와 즐거움을 주는 관상용 물고기입니다.

그대가 저로 인해 행복해질 수 있으면 좋겠습니다.

그대의 눈물이 멎을 때까지 헤엄치는

저는 관상용 물고기입니다.

궤도

인간은 한 가지에 정신이 팔리면 꼭 끝을 봐야 하는 집요함이 있다.

그것이 잘못되면 집요함이 집착으로 넘어간다.

잘못된 궤도.

한가지 말고, 다른 모든 이를 사랑하는 것이 가끔 필요하다고 느낀다

####

사람을 온전히 믿는다는 것은

거의 나의 모든 걸 내어준다는 의미

그만큼 사람에 대한 정이 많다는 의미

사람을 믿는다는 건 나름의 ####이다.

태양

너의 눈은 태양을 닮았어

서로 사랑하면 닮는다고 했더니

내 눈 지금 제대로 태양 빛인가?

겨울

차디찬 바람이 한가득 불어오는 겨울입니다. 눈에 담아도 아프지 않을 순결한 겨울입니다. 있는 그대로의 더러운 나를 받아줘도 더러워지지 않는 그것은 겨울입니다.

여름 날 새벽

창문을 열어 놓으면 같잖은 벌레들이 자기가 여기 있다고 소리쳐 웁니다. 부끄럽지도 않은 모양입니다. 난 부끄러운데, 그래서 다른 이들이 잠에 빠져버린 새벽에 조용히 같이 웁니다. 남들이 보면 제가 생각한 벌레들처럼 같잖아 보일 테니까.

보고싶어

말 잘 듣는 강아지가 될 게 평생 예뻐 해줘

여름 하늘 소낙비

빗물에 잠식당해 영원히 잊으면 좋겠어요

잊혀 그 누구도 나를 모를 때까지

나를 알아주는 존재가 없길 바라요

여름 하늘 소낙비처럼

박치기

하늘의 별을 따다 너에게 바칠게

말이 되는 소리를 해라

그런 거 말고 입술 박치기만 해도 좋아

행복

네잎 클로버는 행운이라는 의미를 가지고 있어요

남들은 행운을 찾지만, 저는 세잎 클로버가 좋아요

행복을 찾을 거예요

내 마음속의 행복

복종

상처를 남겨 아파도 이해해줄 수 있는 것

그것마저 예쁘게 보이고 아름다운 것

내 목에 리본을 묶어주세요

왜 다른 사람과 있을 때 더 행복해 보이나요.

왜 나에게 한 번의 눈길도 주지 않는 건가요.

빛바랜

달의 머리에 작은 희망을 만들고,

태양의 심장에 붉은 열정을 밝힌다.

아해의 슬픔

눈앞의 펼쳐진 모든 것을 부정하려 들었다. 아니, 받아들이지 못한 것이 더욱 명확했다. 내 코를 찔러오는 비릿하고도 알싸한 향이 혈흔의 향기가 아니길 바랐으며, 차에 치여 도로를 굴러다니는 저 사람이 내가 아는 남자친구가 아니라고 믿었다. 내 품에 안겨 생명력을 잃어가 아무 미동도 하지 않는 남자친구를 보니 저절로 눈물이 흐르는 것이었다. 그래도 순간 다행이라고 생각했다. 너의 마지막을 곁에서 지켜줄 수 있어서 정말 다행이었다. 사랑해 나의 아해.

주인 잃은 칫솔

개는 널 잊어버린지 오래야

멍청아

이제 좀 잊어

위로

살랑이는 바람과

일렁이는 물결에

무심코 눈물을 흘려버렸다.

나 이렇게 위로받는 건가

유서

의미 없이 하루를 보내는 날이 이렇게 많았나?

제발

내가 갈망하는 나를 채워줘

가스라이팅

나를 망가트리는 건 너여야지

나를 무너트리는 건 너여야지

항상 너가 그랬던 것처럼

꿈이 달아나 버렸다.

가지마!

넌 항상 내꺼 였잖아!

이행시 3

수 혁아 진심으로 하는 말이야, 너를 만난 건

혁 명이야

잠수부

저는 대체 무엇일까요?

우주에 비해 작은 먼지에 불과할 뿐인데

깊은 생각 속에 잠식당해 내면을 바라봅니다.

잠식당하는 저를 보니, 한껏 가라앉은 잠수부가 된 것 같습니다.

잃어버린 수중 도시

열심히 쌓아 올린 도시를 한순간에 잃어버렸습니다. 그저 방황 한 번 했을 뿐인데, 이럴 줄 알았다면 깊은 우울 속에 모든 걸 내려놓고 오지 말 걸 그랬습니다.

고깃덩어리

구태여 설명하자면 인간은 모두 육신에 따라 움직이는 짐승에 불과할 뿐입니다.

향기

너와의 추억은 지나온 계절의 향기로 남아있기를

흉터

그대가 살아온 길에 흉터가 남았다면, 잘 버텨왔다는 것과
살아낸 것에 대한 의미입니다

약물 과다 복용

새파랗게 겁에 질려 순간 불안해졌습니다. 두렵지만 기뻤습니다. 어지럽지만 설렜습니다. 내가 무언가를 해낸 것 같은 마음에 괜히 뿌듯했습니다.

이용하지 마

무책임하게 나를 떠나간 그 날, 내 세상은 무너졌다

차라리

한 번의 실수로 나를 떠나갈 만큼 가벼운 관계였어?

버리지 않을 거리며, 떠나가지 않을 거라면서

내 귀에 속삭인 이 말들이 전부 다 거짓말이었다면, 차라리 처음부터 아무 말도 하지 말지 그랬어?

착한 건 좋은 걸까요?

이번 생, 너무 착하게 살아왔어요. 이해하고 배려하고 존중해줬어요. 다들 그게 당연하다는 듯이 대했어요. 이기적인 사람들

악마가 되어 모두를 괴롭힐 거예요. 내가 그 사람들 손에 목 졸려 죽지만 않았더라면 이런 선택을 하지 않았을 거예요.

도망가지 마

추억 때문에 아프지만

포기하니까 쉬웠습니다

좋아하는 마음에 나는 어찌 할 수 없었어.

그냥 모든 너가 다 나하고 관련되어 있으면 좋겠다고 생각했거든

낙원

너가 있는 이 낙원에는 개살구가 가득 열렸구나.

유리 온실

너는 나를 보며 웃었다.

바보같이 푸른 꽃을 뜯어먹을 때도 아무 말 하지 않고 웃었다.

내 몸에 있는 모든 구멍에서 푸른 꽃이 피어올라도 내게 예쁘다며 웃어 보였다.

괜스레 비웃는 것인가, 깊은 생각에 빠져드는 찰나 푸른 꽃이 내 몸을 덮어 나는 염원의 꽃이 되어버렸다.

마지막 그대의 얼굴에는 웃음만이 가득할 뿐.

정자

피부에 감겨드는 습하고 비릿한 풀 내음.

이런 날에 정자에 앉아 사랑하는 그이와 차가운 수박을 먹기도 했다.

가벼운 이야기에도 저절로 웃음이 나며 가만히 있어도 기분이 좋아졌다.

사랑하는 그이 하늘에 수박을 올려보내올 테니,

그 추억의 정자에서 나를 기다려주오.

거울

거울 속 비친 그대의 모습에 이질감이 느껴져요.

그대의 붉은 모습, 저의 얼굴을 끈적거리고 기분 나쁜 손으로 어루만져 나를 기분 나쁘게 만들어요.

소름끼쳐

속력

뒤도 돌아보지 않고 도착한 너의 시계탑은 어때

너의 속력과 맞바꾼 그 곳에는 뭐가 있어?

자몽하다

침대 밑에 수면제 애써 모르는 척했어.

너는 절제할 수 있는, 자기 앞가림을 할 수 있는 애니까.

후해행

후회해

감정

감정에 지배당해

어울리지도 않는 단조로운 가면을 쓰고

어울리지도 않는 낯간지러운 행동과 말을 뱉어.